공원에 유아차가 지나가요.

책 발자국 Level 1

유아차

글 김미혜 그림 차선희

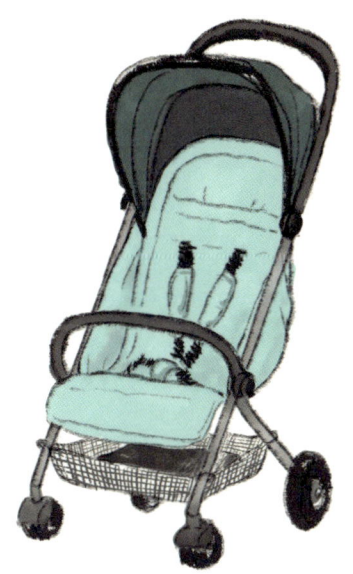

고욱공동체벗

선생님과 학부모님께

이 그림책은 초기 문해력 교육을 위한 수준 평정 그림책입니다.
아이의 읽기 행동을 관찰하고 기록한 결과를 바탕으로 아이의 눈높이에 맞는
책을 골라 주세요. 아이 스스로 책을 선택할 수 있게 해 주시면 더 좋아요.
그리고 가정과 학교에서 아이와 함께 안내된 읽기를 해 주세요.
이 책에는 한글의 여덟 번째 모음 'ㅠ'가 들어간 '유아차'라는 낱말이 반복해서
나옵니다. 감탄사 '휴'에도 'ㅠ'가 들어 있어요. 그림책을 읽기 전에 유아차(유모차)와
관련한 경험이 있는지 아이와 대화를 나누어 보세요. 책을 읽으면서
다양한 유아차에 대해 알아보고 "유아차에는 ○○이/가 타요."라는 문장을
만들어 보도록 해요. 유아차에는 몇 살까지 탈 수 있는지 아이의 생각을 물어보고,
그렇게 생각한 이유에 대해서도 이야기해 봅시다.

유아차에는 아기가 타요.

쌍둥이도 타요.

강아지도 타요.

인형도 타요.

나도 탈 수 있을까요?

휴!

이 책은 _____의 것입니다.

유아차

ⓒ 김미혜, 차선희, 2025

2025년 11월 3일 처음 펴냄

글쓴이 김미혜 | **그린이** 차선희 | **편집** 이진주 | **디자인** 더디앤씨 | **인쇄** 보명C&I | **제작** 세종PNP
펴낸이 김기언 | **펴낸곳** 교육공동체 벗 | **이사장** 오정오 | **사무국** 최승훈, 설원민, 공현
출판등록 제2011-000022호(2011년 1월 14일) | **주소** (03998) 서울시 마포구 월드컵북로7길 76-12 102호
전화 02-332-0712 | **전송** 0505-115-0712 | **홈페이지** communebut.com

ISBN 978-89-203-4 67700
ISBN 978-89-195-2(세트)

유아차	BFL	1
	어절 수	17

사용 연령
6세 이상

값 2,300원

ISBN 978-89-6880-203-4
ISBN 978-89-6880-195-2 (세트)